인생은 한 편의 영화와 같습니다.
각본도 없고 방향도 알 수 없지만,
꽤 괜찮은 영화이지 않을까 싶습니다.

열차 노선도, 혹은 삶의 이정표

당신의 삶은 어디를 지나고 있습니까?

레일이 없어 앞으로 가지 못하는 것은 아닙니까?

전하고 싶은 이야기

아직 노선을 정하지 못한 사람들에게,

이 책은 삶이 힘들고 대인관계가 어려운 당신에게 삶의 노선도가 되어줄 책이다. 누군가에겐 도움이 되는 책일 수도, 또 다른 누군가에겐 그저 잉크와 종이로 된 글자 덩어리일 수도 있다. 하지만 당신이 이 책을 펼친 이유를 작가는 알기에, 당신에게 필요한 이야기가 되기를 바라는 마음으로 집필했다.

"인생 1호선"은 작가의 첫 책으로서, 가장 순수한 마음을 담고자 노력했다. 타인의 생각, 표현들을 훔치지 않고 오로지 필자의 마음 그대로, 거추장스러운 말로 장식하지 않고 정말 전하고 싶은 말들을 눌러 담았다. 미흡한 부분도 있겠지만, 너그러운 마음으로 읽어준다면 감사하겠다.

내용이 당신에게 직접 와닿지 않을 수도 있다. 하지만 글자 하나하나를 곱씹으며 읽어 본다면, 분명 어떤 이야기를 하려 하는지 알아차릴 수 있을 것이다.

처음부터 끝까지 순서대로 읽어나갈 수도 있겠지만, 구태여 순서에 매일 필요는 없다. 독서 습관이나 방식은 독자마다 각기 다르겠지만, 필요한 내용을 발췌하여 읽거나 가장 마음에 와닿는 소제목을 골라 먼저 읽기에 용이하도록 구성했다.

독서를 할 때는, 무언가를 책에서 얻어가고 그것을 나의 삶에 녹이는 것이 중요하다고 생각한다. 책을 읽으며 가볍게 지나가기보다는, 당신의 삶에 대입하며 읽는다면 더 많은 것을 얻을 수 있지 않을까 조심스레 생각해 본다. 본 도서가 자기계발서인 만큼, 책을 읽으며 자신을 발전시키려는 방법을 끊임없이 생각하고 실천하라.

현생을 살아감에 있어 당신이 어떠한 생각으로 살든 틀린 것은 아니다. 삶에서의 정답은 없다.
하지만 타인의 심리를 잘 살피는 것은 분명 중요하다. 그렇다고 새삼스럽게 삶은 어떻게 살아야 하나요, 당신은 어떻게 살아가고 있나요, 하고 물어보는 것은 낯간지럽다.

누구도 선뜻 알려주지 않았던 삶의 성찰을, 필자는 이곳에 솔직하게 털어놓았다. 제시될 내용들을 본인의 방식대로 해석해 나가며 비판적으로 수용한다면 진정한 자기계발을 이룰 수 있을 것이다.

마지막으로, 이 이야기 속 당신이 필요로 했던 내용이 있을 수도, 혹은 담아내지 못했을 수도 있다. 비록 원했던 것이 아니더라도 잠시나마 삶의 방법이라는 깊고 무거운 주제를 이야기함으로써 미처 생각하지 못했던 다른 부분도 고민한다면 더 큰 무언가를 얻어 갈 수 있지 않을까 한다. 독자분들이 얻어가는 것이 정답 일수도 오답이 될수도 있겠지만, 그것 또한 본인 나름의 답이기에, 이 책에서는 불필요한 채점을 요하지는 않는다.

작가 이강산 올림

아무도 알려주지 않던 대인관계와
인생을 살아가는 데에 대한 나름의 답

추천사

세계는 자세한 우연과 어설픔의 종합이다. 인간의 불행은 그러한 무질서에서 비롯한다. 그렇게 우리의 삶은 곤란할 만큼 막대한 자유 속에서 유영하며 갖은 생활들, 보편적이면서도 각자 타협할 수 없는 불가능성을 내재한 사적 생존으로 표상된다. 죽음이 세속에 도래하는 날은, 세계와 인생 하나의 복잡한 관계 맺어짐 안에서의 어쩔 수 없는 무류성에 의해 끝없이 후퇴되며 지연된다. 이는 즉, 인간 정신이 표류하는 삶의 아득함, 영원한 방황의 테제다.

나름의 답, 나름의 생각에는 특별히 엄밀한 정당화가 요구되지 않는다. 그러나 나름의 삶에서 감당해야 할 고통과 슬픔은 온전히 개인의 몫으로 책임을 강요받는다. 이 책은 어떻게 하면 그것을 조금이라도 덜어내고 보다 성숙하게 다뤄낼 수 있을지 고민한 나름의 기록이다. 글을 검수하며 느꼈던 진실한 마음과 선한 의도가 독자에게도 전달되기를 바란다.

밀목에서, 솔레

인생 1호선

이강산 지음

때로는 져줄 때도 있는 법

내게는 사회생활을 하며 정한 법칙이 있다. 그중 하나가 **"상대방이 누구든 때로는 져주자"**이다. 이는 상대방이 틀린 말을 해도 무조건 인정하라는 것이 아니다. 져준다는 것은 패배가 아니라 경청하며 생각의 시간을 가지고 인정 해주자는 것이다.

대게 설득이나 의견을 표현할 때면 본인이 얻고자 하는 내용이 들어간 문장을 사용한다. 하지만 서로 상충 관계가 맞지 않아 원하지 않는 답을 준다면 그 대화의 시간은 점점 길어진다. 대화가 길어지면 서서히 갈등이 고조되고 때로는 화를 불러온다. 이것은 생각하는 것에 대한 부정을 나타냈을 때 맞다는 것을 더욱 명확히 어필하기 위한 수단 인 것이다. 하지만 여기까지 갔다면 사람 대부분은 언쟁을 벌이거나 이야기의 마무리를 짓지 못하고 대화를 끝낸다. 이러면 남는 것은 하나도 없다. 이렇게 서로의 생각이 상충할 경우 때로는 져주라는 말이다. 아무리 상대방이 논리적이지 않은 말을 한들 그 자리에서 부정하기보단 부드럽게 상황을 넘기고, 잠시 고민하는 척을 하라.

그렇게 잠깐 고민하는 동안 고조된 감정이 누그러지고 상대방이 침착해 졌을 때 "그런 것 같기도 한데?"라고 하거나, 당신의 생각도 일리가 있다고 먼저 긍정의 신호를 주고 당신의 생각을 말해보아라. 결과는 놀라울 것이다. 경청하는 사람의 답을 무시할 사람은 아무도 없다.

때로는 당신이 져줌으로써 패배한 것이라고 느낄 수도 있다. 그러나 당장의 상황에 집착하지 말고 먼 미래를 보라. 상대의 말을 무시하고 대화를 이어나간다면 좋게 끝나지는 않을 것이다.

이러한 대화 기법을 사용한다면 상대방도 자신이 잘

못을 인지하고 다시 이야기할 것이다. 그때 당신의 의견을 제시한다면, 상대는 배려를 받았다는 생각에 당신을 더욱 신뢰할 것이다. 만약 상대방이 다시 말하기를 주저하며 꺼린다면, 나중에 언제라도 다시 이야기하면 된다. 정해진 사람은 없다.

상대방에게 져주라는 말은 상대방을 이겨 먹지 말라고도 이야기할 수 있다. 이는 친구 사이, 연인 사이, 선후배 사이 등 여러 사이에서 적용될 수 있다.

누군가와 교류를 이어가며 지내는 와중 말싸움이나 크고 작은 다툼이 발생한다면 계속 친밀했던 관계가 유지될 수 있을까?

담배 불씨 하나가 산을 다 태워버리는 것처럼, 당신의 그 순간 말 한마디 때문에 지금까지 쌓아왔던 모든 관계가 무너질 수 있다.

하찮은 승리감에 사로잡혀 상대방을 누르고 이겨 먹는다면 지는 사람도 생긴다. 그렇게 패배하고 나면, 당신을 예전처럼 대하기 어려울 것이다. 이렇게 작은 것 하나 때문에 인간관계의 문제가 생기는 경우도 매우 많다.

경기에 항상 승패가 갈린다는 것은 착각이다. 양측이 타협할 수 있는 무승부의 길도 있다는 것을 알아야 한다.

지금까지 설명한 것을 통틀어 '대화의 균형'이라고 할 수 있을 것이다. 대화의 균형이 적절하다면 어디서든 더 나은 결과를 얻을 수 있다. 즉, 사회생활에 큰 도움이 된다. 누구도 존중하지 않는 사람을 챙겨줄 여유는 사회에 없다. 사람들의 말을 주의 깊게 듣는 평화주의자를 좋아하는 것이지 항상 싸움을 일으키는 전쟁광을 지지하진 않는다.

대화에서 항상 균형을 지켜라, 사람들은 '대화'를 하고 싶은 것이지 '말싸움'을 하고 싶은 것이 아니다.

감정 폭발

당신은 화를 내본 적이 있는가? 없다면 거짓말일 것이다.

그럼 왜 화를 냈는지 생각해 본 적이 있는가? 이것에 대한 답은 쉽게 내리지 못할 것이다. 때로는 자신의 억울한 감정을 표현하기 위해서, 상대방이 내가 싫어하는 행동을 반복할 때나 사소한 것인데 왜인지 모르게 화를 내곤 한다.

다시 한번 질문해보겠다. 화를 내서 상황이 긍정적으로 바뀐 경험이 있는가?

아마 없을 것이다. 이유는 단순하다. 나만 화를 낼 줄 아는 것이 아니기 때문이다. 내가 화를 내면 상대방도 당연히 화를 낼 것이다. 얼굴만 붉히는 대화 속에서 긍정을 찾는 것이란 불가능에 가깝다.

당신의 의견을 강조하고 싶어서 화를 내는 경우도 있는데, 이는 "너와는 말이 통하지 않는다"를 정확하게 나타내는 행동이다. 이런 행동을 하면 차분했던 감정도 한순간에 뒤바꾸어 버릴 수 있다.

지인으로부터 걸려온 대화의 첫마디가, 매우 화난 어투의 "어디야?" 일 때와, 차분한 목소리의 "어디야?" 일 때의 차이가 무엇일까?

전자의 경우에는 그 한마디에 많은 생각이 머릿속을 스쳐 갈 것이다. "얘가 왜 화났지?" "내가 뭐 잘못한 것도 없는데 왜 저렇게 말하는 거지?" 등등 여러 가지 생각이 들 것이다. 아무리 긍정적인 사람이라도 기분 나쁘게 대화를 시작할 수밖에 없고, 그런 기분으로 인해 당신도 화를 내거나 불편한 목소리로 대답할 것이다.

반대로 후자의 경우에는 밝은 목소리까진 아니더라도 질문에 곧바로 답을 하고 빠르게 대화를 마무리할 수 있을 것이다. 이러한 사소한 것 하나 때문에 똑같은 이야기라도 질이 완전히 달라진다. 화를 내는 것은, 서로의 시간과 감정을 모두 낭비하는 결과를 초래한다.

항상 친절한 사람 1명과 항상 화를 내는 사람 10명이 있다면 누구와 작업하고 싶은가? 인원이 많다고 해서 일을 더 성공적으로 할 수 있는 것은 아니다. 어떠한 일을 하더라도, 친절한 사람과 하는 작업이 모든 측면에서 나을 것이다.

항상 화를 내며 싸우는 사람과 누가 기분 좋게 일할 수 있을 것인가? 말싸움과 감정소비가 얼마나 많은 시간 낭비와 효율감소를 가져오는지 알아야 한다. 작업은 엉망진창이 될 것이고 앞으로 누구도 나서려 하지 않을 것이다.

반면 전자의 경우에는 친절한 행동이 기분뿐만 아니라, 서로의 의사소통에도 많은 도움을 주고 사람과 사람의 교감을 함으로써 유대가 형성되어 그것이 곧 새로운 사회관계로 이어질 것이다.

화를 내는 것은 시간 낭비일 뿐만 아니라, 사회생활의 문을 닫고 걸어 잠그는 것임을 명심하라. 웃음의 대화와 분노의 대화는 완전히 다르다. 당신이 말하고 싶은 것이 아무리 전달되지 않는다고 해도 **항상 긍정적으로 다가가라.** 긍정적인 대화는 성공을, 분노의 대화는 파멸을 이끌어 온다.

지금 감정이 상했다고 해서 타인에게 나의 감정을 전가하면 안 된다. 그 누구도 오늘 하루를 기분 나쁘게 지내고 싶어 하지 않으며, 자신과 무관한 일 때문에 불쾌해져서는 안 된다는 것을 명심하라.

익숙함에 속아버렸던

신뢰(信賴) : 타인의 미래 행동이 자신에게 호의적이거나 최소한 악의적이지는 않을 것이라는 기대와 믿음.

사회생활에서 가장 중요한 것이 무엇이라 생각하는가?

여러 가지 답이 있을 수 있다. 하지만 그중에서도 가장 기초적이면서 중요한 것은 "신뢰"이다. 신뢰는 절대 가벼운 것이 아니다. 지금 당신이 가장 신뢰하는 사람이 누구인가? 가족일 수도 있고 죽마고우처럼 지내는 고향 친구일 수도 있다. 모든 신뢰는 상대를 처음 만난 그 순간부터 쌓여가거나 없어지기 시작하는데 그것이 신뢰 지수이다.

신뢰 지수는 불변하는 값이 아니다. 당신의 말과 행동, 사소한 비언어적 표현까지도 낱낱이 반영되어 시시각각으로 변화한다. 좋은 인품을 보이거나 공통분모를 가지게 되는 등, 긍정적인 교류가 이어진다면 신뢰 지수가 발전하여 깊은 고민이나 비밀들을 털어놓을 수 있게 되는 것이다.

신뢰를 얻었다고 해서 당신이 그 사람을 대하는 태도가 변화하면 안 된다. 하지만 대게 친밀도가 높아질수록 상대방을 존중하는 태도나 여러 가지 행동들이 과거보다 변화하는 것을 볼 수 있다.

이것을 "익숙함에 의한 태도변화"라고 한다. 상대방이 나에게 평가한 지수를 어느 정도 파악하게 되면 더 이상 지수가 바뀌지 않을 것이라는 고정관념에 사로잡힌다.

과거에는 하지 못했던 말이나 행동, 상대방을 존중하지 않는 태도로 대하기 시작하는데 상대방은 그때마다 당신의 신뢰 지수를 내린다. 하지만 당신은 지수가 내려가는 줄도 모른 채 지속해서 똑같은 행동을 반복한다. 이 상태로 시간이 점점 지나면 과거에 상대방이 당신에 대한 지수를 바탕으로 했던 행동과 말이 점점 바뀌게 되고 첫 만남 때 보다 지수는 더 하락하여 결국엔 친밀했던 사이가 매우 멀어지기도 한다.

익숙해졌다는 것은, 더욱 신경 써야 한다는 것이지 상대방을 막 대해도 괜찮다는 뜻이 아니다. 지금 한번 자신을 돌아보아라. 살면서 익숙함에 무뎌져 아무 생각 없이 한 말은 없는지. 한번 입 밖으로 나온 말은 주워 담을 수 없지만, 사과는 언제든지 할 수 있다. 만약 당신이 성숙하지 못해 뱉은 말이 지금이라도 기억났다면, 상대방에게 가서 사과하라.

연료가 고갈된 자동차는 움직이지 못한다. 마찬가지로 신뢰를 잃은 사회생활도 원만할 수 없다. 신뢰를 얻는 것과 잃는 것은 한 끗 차이임을 명심해라.

이처럼 신뢰는 사회생활의 첫걸음이자 원동력이다. 신뢰 없이는 살아갈 수 없는 세상인 만큼, 잃지 않도록 조심하자.

자존심 때문에,

조금의 양보로 해결 될 수 있는 문제를

너무 크게 만들지는 않나요?

그 길에 지뢰를 심지 마세요

당신은 사회초년생 때 당신의 선임이나 선임자를 싫어해서 뒤에서 욕을 하거나 해코지를 해본 기억이 있는가? 사회생활을 하는 모든 사람은 다들 한 번씩은 있을 것이다.

상사가 귀찮은 업무나 복잡하고 힘든 일을 지시한다면 툴툴대기도 하고, 직장 동료끼리 욕을 할 수도 있을 것이다.

하지만 처지를 바꿔서 생각해 보면 상황은 달라진다. 당신의 상사는 최고 권력자가 아니다. 그렇다면 그 위에 있는 더 큰 권력자가 있을 것이고 아래로 내려오면서 무리한 부탁이 되는 경우가 있다. 이러한 경우엔 상사도 무리한 업무라 생각됨에도 불구하고 때로는 부탁을 해야 할 때도 있다. 즉, 당신을 싫어해서 그런 부탁을 하는 것이 아니란 것이다. 당신에게 업무를 주는 상사도 당신을 신뢰하여 부탁하는 것이지 신뢰하지 않았다면 애초에 부탁도 하지 않았을 것이다.

때로는 상사에게 대들기도 하고 더 높은 상사를 통해 당신의 부당함을 알리려고 할 수 있다. 하지만 당신도 언젠간 권력을 얻게 되고 중간관리자 위치가 될 것이다. 더 나아가 당신이 사람들을 모두 관리하는 상위관리자가 된다면, 아래 사람들에게 단 한 번도 무리한 지시를 하지 않을 것이라는 약속을 할 수 있는가?

무리한 업무라도 "좋은 게 좋은 거다"라는 생각으로 살아갈 필요도 있다. 나의 선임자가 걷고 있는 길은 미래엔 내가 걸어 나가야 하는 길이다. 그런 길에 지뢰를 심으면 당시엔 선임자가 그 지뢰를 피하느라 정신없이 다닐 순 있다. 하지만 나중엔 지뢰를 당신이 밟을 수 있다. 나만 생각하지 말고 다른 사람들의 마음도 한번 생각하는 자세를 가져야 한다.
만약 그 지시가 매우 부당한 일이라면 정중하게 사

유를 이야기하며 거절하라. 그 사유가 매우 정당하다면 화를 내는 사람은 없을 것이다.

[매우 부당하다, 매우 정당하다]의 판단을 내릴 수 있는 기준을 제시할 필요가 있어 보입니다.

사람과 사람 간의 마찰은 원만하게 대화를 하며 풀어 나갈 수도 있고 다른 여러 가지 해결방법이 많다. 하지만 가장 쉬운 대화로 해결하는 방법도 사용하지 않은 채 마음의 문을 닫고 남을 헐뜯고, 타인이나 권력의 힘을 빌려 일을 해결하려 한다면 당신이 걸어갈 길에 수만 개의 지뢰를 심는 것과 다름없음을 알았으면 한다.

그저 머물러만 있는 사람은 없다. 사람들은 항상 더 높은 곳으로 나아가기를 바라고 성공하기를 원한다. 하지만 심어놓은 지뢰 때문에 그 길을 돌아가다 보면 목적지에 도달하기가 어려워질 것이다.

지금 밟을 곳이 아닌 저 먼 곳을 봐라. 당신이 미래에 밟을 곳이다. 혹시 지뢰가 보이진 않는가?

그 사람이 당신에게 이야기하기 위해
얼마나 많은 용기를 냈을지 모릅니다.
조금 서툴러도 용서해 주세요.
겉보단 진심이 중요하니까요.

시간이 해결해주는 것은 없다

인간관계에서 잠시 시간을 가져 본 적이 있는가? 시간을 가진다는 것은 친구나 동료 등 당신과 관련된 사람들과 다투고 난 후 서로의 자존심을 굽히지 않으려 냉전 상태를 유지하는 행동을 말한다. 생각하는 시간을 가지는 이유는 대부분 자신의 잘못보다는 상대의 잘못이 더 커 내가 먼저 사과할 필요는 없다고 생각하는 것이 대부분이다.

계속 버티고 있으면 상대방이 먼저 다가와 사과를 하겠거니 생각하는데, 그런 경우는 사실 많지 않다. 그러면, 왜 이런 현상이 일어나는 것일까?

첫 번째, **나의 잘못보단 상대방의 잘못에 가중치를 두기 때문이다.** 대부분의 다툼은 서로의 잘못이 더해져 일어나게 되는데, 당사자들이 생각하기엔 상대방의 행동만 없었다면 나의 잘못된 행동은 일어나지 않았을 것이므로, 나의 잘못보단 상대방의 잘못이 더 크다고 여긴다. 이를 타파하기 위해서는, 먼저 나의 잘못을 되돌아보고 사과하는 습관을 들여야 한다.

　두 번째, **사과를 패배로 생각하기 때문이다.** 다툼을 끝내기 위해 사과하는 것을 상대방에 굴복한다고 생각하는 사람들이 있다. 이는 잘못된 생각이다. 사과는 내가 잘못한 부분에 대해서 용서를 구하는 행동이며 상대방 또한 나의 사과를 듣고 자신의 잘못된 행동을 언급하며 용서를 구할 것이다.

　마지막으로 **사과를 하고 싶으나 그 방법을 모를 때이다.** 사과에는 나의 잘못을 인정하는 자세와 용서받고자 하는 진정성만 있으면 충분하다. 남이 시켜서 마지못해 하는 사과는 스스로에게도 부끄럽고 상대방을 더 화나게 만드는 행동이므로 지양해야 한다.

아직 무엇을 잘못했는지 모르겠다면 무턱대고 사과하기보다는 상대방에게 자신의 어떤 부분이 문제인 것 같은가? 라고 진정성 있게 물어보라. 상대방의 답변을 내가 받아들일 수 있다면, 그때 당신의 마음을 담아 사과하라. 상대방이 받아주지 않는다고 해서 포기하지 말고 끝까지 용서를 구한다면 당신의 진정성을 보여줄 수 있을 것이다.

나의 잘못에 대한 인정과 사과는 쉬운 일이 아니다. 나만 잘못한 게 아닌데 왜 먼저 사과를 해야 하는지 모르겠다는 사람들이 있다. 하지만 원만한 사회생활을 위해서는 대처능력도 필요하다. 상호에게 잘못이 있더라도 먼저 사과하고 용서를 구하라. 상대의 사과를 받아내겠다는 생각도 잠시 미뤄둬라.

문제 해결의 첫 단추는 그 상황을 빠르게 마무리 짓는 것이다. 자리를 피하라는 것이 아니다. 사과하고 용서를 구하면 잘못을 즉시 바로잡을 수 있고, 지속되는 마찰도 피할 수 있을 것이다.

눈은 내 앞에 있다

가끔 사람들과 만나 대화를 하다 보면 상대방이 앞에 있는데도 불구하고 먼 산을 보고 대화하거나 휴대전화를 보며 나누는 대화들을 심심찮게 볼 수 있다. 이는 매우 잘못된 습관이다. 이런 유형의 대화는 같은 대화를 하더라도 눈을 보고하는 대화와의 시간차이가 난다는 것을 알 수 있다.

사람 간의 의사소통에서 가장 중요한 것은 듣고 말하는 것인데, 상대방이 말할 때 기본적인 경청의 자세조차 가지지 않는다면, 상대방으로선 자신을 무시하는 것처럼 들리고 이야기에 흥미가 없다는 뜻으로 받아들여지기 때문에, 더는 당신과 대화할 이유가 없어지는 것이다.

또 다른 이유는 익숙함 때문이다. 상대가 편하고 익숙하다 해서 그의 이야기를 경청하지 않아도 된다는 뜻은 아니다. 당신에게 더 깊은 이야기를 할 가능성이 커지고 그러한 이야기를 경청함으로써 상대와의 더 깊은 교감을 할 수 있게 되는데 기본자세를 지키지 않는다면 대화의 질은 매우 떨어진다.

한번 예를 들어보자, 휴대전화를 보고 있을 때 당신의 상사가 무언가를 시키기 위해 불렀다면 그의 얼굴을 보지 않고 이야기한 적이 있는가? 반면, 친한 친구나 부모님이 같은 상황에서 당신을 불렀을 때 눈을 보지 않고 휴대전화만 계속 보며 대화한 적은 있는가? 잘 생각해 보길 바란다.

상사라고 하여 존중해야 하고 하급자나 친밀감이 있는 사람이라고 해서 존중하지 않아도 되는 것은 아니다. 다들 자신이 존중받길 원한다. 항상 상대방의 입장에서 생각하고 행동하는 사람이 되길 바란다. **내가 존중받고 싶다면 상대방을 먼저 존중하라.** 당신이 먼저 존중한다면 누가 당신에게 함부로 하겠는가?

고맙다는 말 한마디를 그렇게 아꼈습니다.
말한다 해서 돈이 드는것도 아닌데 말입니다.
고맙지만 말하지 못한 이에게 지금이라도 전해봅니다.

고맙습니다.

인간관계

사람 사이에선 수많은 만남으로부터 인간관계가 시작된다. 인간관계는 사회생활의 가장 기본적인 요소라고 볼 수 있다. 나와 누군가의 인간관계가 맺어짐으로써 사람과 사람 사이의 거미줄 같은 사슬들이 생기고 그것들이 곧 사회생활로 연결되는 것이다. 인간관계에서 영원한 것은 없다. 사람들이 살아가다 보면 항상 그 위치에만 남아 있지 않고 성장하고 더 발전해 가면서 과거에 만났던 인간관계에서 멀어지는 현상들이 주된 이유이다.

인간관계 중 가장 중요한 것은 '사회적 교환법칙'인데, 쉽게 말해 상대방이 부족한 부분을 채워주는 행위 또는 서로 같은 관심사나 공통점이 있어야 한다는 것이다. 당신이 알아야 할 것은 **사회생활을 하는 사람 사이에서 대가 없는 관계는 없다.**

사람과 사람 사이에선 어떻게 인간관계가 형성된다고 생각하는가? 보통 동아리, 학교 등 동일 선상에서 만나는 사람들이 있을 수도 있고 직장상사처럼 갑과 을로 만나는 수직적 인간관계가 형성될 수 있다. 이러한 인간관계를 가지는 이유는 여러 가지가 있지만 가장 확실한 정답은 **어떤 사람을 만나 생각의 폭을 넓히고, 무지했던 부분을 채워주는 멘토를 찾고, 궁극적으로 나의 인생을 변화시키기 위함이다.**

인생을 변화시키기 위해서는 많은 인간관계를 생성해라. 당장은 아무 교류를 할 수 없어도, 미래에 어떤 일이 생길지 모른다. 당신이 누군가를 도와줄 수도 있고 도움을 받는 경우가 생길 수 있다. 모든 가능성을 열고 사람 한명을 소중히 대하자.

모두를 아군으로 만들 수는 없으니까

전쟁영화에서 군인이 죽는 장면을 본 적이 있는가? 죽는 이유는 여러 가지가 있겠지만 상당수가 아군의 잘못된 사격으로 사망한다. 이는 적을 향해 앞을 보여줄 때 뒤에는 믿을 수 있는 아군이 있으므로 등을 보여준다. 이때가 가장 무서운 법이다. 인간관계를 가지다 보면 어느 정도의 신뢰를 쌓게 되고 그것은 곧 믿음으로 변화하게 된다. 이 믿음이 때로는 가장 큰 적이 될 수도 있는 것이다. 신뢰하고 있는 사람 중, 뒤에서 총알을 장전하고 조준하고 있는 사람은 없는가?

당신이 나누어 준 식량과 믿음이 총과 칼이 되어 나에게 다시 돌아온다면 어떨까? 그 상처는 적군이 준 피해보다 치명적일 것이다. 믿음과 신뢰가 물 흘러가듯

자연스럽게 생긴 것으로 생각해서는 안 된다. 당신을 신뢰하기 때문에 같이 이야기하고 당신을 믿기 때문에 같이 웃을 수 있는 것이다.

사람은 항상 모든 사람을 얻고 싶어한다. '양보단 질', '질보단 양' 이란 단어를 들어본 적이 있는가? 인간관계에서는 '양보단 질' 이란 단어가 더욱 어울린다. 항상 모든 사람이 나를 좋아해 준다면 그것만큼 최고의 사회생활이지만 사회에서는 그런 것 따윈 없다. 날 좋아해 주는 사람은 당신 눈에 많이 보이지만 당신을 싫어하는 눈에 보이지 않는 사람 한 명 없겠는가?

당신에게 칼을 꽂으려는 사람이 누군지 알았다고 해서 그 사람의 마음을 돌리려고 하지 마라. 당신이 원래 사이로 돌아가기 위해 무엇을 해도 상대방의 눈에는 좋게 보이지 않는다. 한번 사고가 난 차는 기록이 남는 것처럼, 만일 당신이 그 사람의 마음을 돌렸다 해도 나를 향해 칼을 꽂으려 했다는 생각은 지워지지 않을 것이다. 그로 인해 신뢰는 바닥을 치게 된다. 언제 다시 칼을 꺼낼지 모르는 아슬아슬한 인간관계보다는 믿음으로 된 인간관계가 무엇을 해도 낫다. 떠나간 사람을 붙잡는 만큼 미련한 짓은 없다. 떠나간 사람보단 내 옆에 있는 사람을 챙기는 것이 더욱 진정한 사회생활을 할 수 있다.

적이 아무도 없는 것이 가장 이상적이지만, 현실은 쉽지 않다. **모두를 아군으로 만들 수는 없지만, 아군이 아니라면 무조건 적이어야 한다는 것도 아님을 명심하라.** 아군으로 포섭할지, 중립으로 만들것인지, 적으로 돌릴지는 내가 결정하는 것이다.

내가 포기하면 다 끝나버릴 것 같아
싫은 티 하나 못냈어요.
왜 그 사람 앞에선 바보가 되어버리는지 모르겠네요.

과연 내 마음을 알고는 있을까요?

오늘 걸으면 내일은 뛰어야 하지만

번아웃 (burn out) : 어떠한 활동이 끝난 후 심신이 지친 상태

사회생활을 하다 보면 한 번씩 모든 것이 힘들어 다 포기하고 싶고 아무 생각이 들지 않는 "번아웃"상태가 오기도 한다. 사회생활을 하면서 당연한 일인데, 이 현상이 나타나는 이유는 주로 매일 반복되는 사회생활과 사람을 상대하는 대인관계에 싫증을 느낀다거나 그로 인한 스트레스에 지치는 등의 이유가 있다.

번아웃이 오면 삶의 리듬이 깨진다. 대표적으로 내일을 위해 수면을 취하고 휴식을 가져야 할 시간에 아무 이유 없이 몇 시간씩 영상을 보거나, 과음하는 것이다.

모든 걸 포기하고 싶고 힘들 때 아무런 생각을 가지지 않게 해주는 것들이다. 번아웃이 왔을 때 이런 행동을 하게 되면 점점 삶의 균형이 불균형하게 되고 이는 곧 일과 사회생활의 능률 저하로 이어진다.

번아웃이 왔을 때 가장 도움이 되는 것 중 하나는 취미생활이다. 살아가며 일만 하고 기계처럼 살 수는 없다. 내가 좋아하는 것들을 하면서 그 순간만큼은 일상생활에서 벗어나 내 취미를 즐기는 것이 번아웃 회복에 큰 도움이 된다. 더불어 같은 관심사를 가진 사람들과 만남으로써 대인관계의 폭이 더 넓어지며, 공통된 관심사를 가진 사람과의 친밀도는 일반적인 만남보다 더 쉽게 올라간다. 일상생활에서 일과 관련된 사람을 대하는 것이 지쳤다면 관심사와 관련된 사람들과 만나 좀 더 편하고 말이 통하는 대인관계를 가져보는 것은 어떨까?

사람들을 대하는 것에 지쳐 혼자 있고 싶을 때가 있다. 이럴 때는 혼자 하는 취미생활도 많은 도움이 된다. 혼자 낚시를 하거나 책을 읽고, 헬스장에서 운동을 해도 되며 등산이나 휴대전화로 몇 시간씩 오락을 즐길 수도 있다. 이러한 혼자만의 취미생활을 하면서 잠시나마 이리저리 치이던 공간에서 벗어나 당신만의 공간에서 혼자 생각하고 고민함으로써 내가 어떤 사람인지, 내 미래는 무엇인지에 대한 생각과 발전할 방향을 찾아보는 것도 방법이 될 수 있다.

취미생활이란 당신이 즐길 수 있고 스트레스를 날리는 생활이다. 당신이 가장 좋아하는 것이 무엇인지 곰곰이 생각해 보고 일에 매진하는 것보단 당신의 행복을 찾아 나서보는 것도 좋을 것 같다.

번아웃은 누구나 경험한다. 하지만 그 상태를 얼마나 지속하냐에 따라서 당신의 미래 성공과 실패가 좌우될 수도 있다. 주변인의 시선도 처음에는 원래의 상태로 돌아오라고 응원해주고 위로를 해주는 경우도 있겠지만 그 상태를 오래 지속한다면 시간이 지나도 진전이 없는 당신을 포기할 수도, 무관심 해질 수도 있다. 당신이 열심히 달려온 시간만큼 번아웃의 크기도 크겠지만 앞으로의 더 멋진 미래를 위해 크게 연연하지 않고 앞으로 나아가는 당신이 된다면 그 끝엔 오늘보다 더 발전한 당신이 있을 것이다.

고장 나버린 양팔 저울

편견(偏見) : 공정하지 못하고 한쪽으로 치우친 생각.

양팔 저울은 좌우에 무게를 올릴 수 있는 판이 있고 양쪽에 물체를 올려 무게를 재는 것인데, 양팔 저울이 고장 나버리면 당연히 그 무게는 항상 다르게 나온다. 이것을 사회생활의 편견에 비유할 수도 있는데, 당신이 누군가를 대할 때 편견을 가진다면 저울은 그 순간부터 고장 나기 시작한다. 고장 난 저울로는 무엇의 가치도 판단할 수 없는데 이것이 바로 편견이 들어간 대인관계이다.

예를 들어, 당신은 어떠한 조직의 관리자이다. 그런데 어느 날 조직 내에서 관리하는 기계가 망가져 누가 망

가트렸는지 확인하기 위해 조사한 결과 그 기계는 A와 B만이 사용하는 기계였다. A는 대인관계가 우수하고 평소 행실이 좋은 반면, B는 대인관계가 좋지 않으며 전과가 있다. 또한, B는 과거에 기계를 고장 낸 전적이 있다. 이럴 경우 당신은 누굴 범인으로 의심할 것인가?

당신은 A 또는 B 중 한 명을 골랐을 것이다. 안타깝게도 당신은 방금 저울을 고장 낸 것이다. 이 질문의 답은 그 누구도 과거의 행동이 어떻든 그것이 편견이 되어선 안 되며 A와 B 둘 다 의심하면 안 된다는 것이다.

이처럼 우리의 일상생활은 편견으로 가득 차 있다. 하지만 **이 편견이 누군가의 잠재력을 알아볼 수 없게 하고 성장을 방해하며 제자리걸음으로 만들고 있음을 우리는 알지 못한다.** 사람은 항상 객관적이어야 하지만 우리는 감정이 먼저일 때가 많아 주관적인 판단을 하곤 한다.

그 누구도 **자신의 과거로 인해 똑같은 일을 해도**

다른 점수를 받아선 안 된다. 항상 좋은 평가를 받는 사람도 실수할 수 있고, 항상 나쁜 평가만 받던 사람도 선행을 베풀 수 있다. 하지만 그것을 알아차리기 까지는 많은 시간이 걸린다. 지금부터라도 색안경을 벗고, 양팔 저울을 고쳐 사람을 상대해 본다면 어떨까? 아무런 변화가 없어 보일지라도, 시간이 지나다 보면 점점 바뀌는 것이 눈에 보일 것이다.

사람의 선입견은 바꾸기 매우 어렵습니다.

하지만 어려울 뿐이지 바꿀 수 없다는 말은 아닙니다.

그럼 무엇을 해야겠습니까?

부재중 전화

부재중 전화가 한 통 왔다. 누구인지 확인하려 하니 저장이 되어있지 않는 번호였다. 다시 전화를 걸어 누구인지 물어보니 과거 친했지만, 시간이 지나면서 바빠 연락을 못 했던 친구였다. 반가운 마음에 그동안 함께 나누었던 추억과 여러 이야기를 긴 시간 동안 나누고 마지막엔 나중에 만나자는 인사를 남긴 채 전화를 끊었다.

지금 한번 생각해 보아라, 많은 추억을 나누었던 사람이 어느 순간 연락이 끊어지진 않았는지. 한두 명씩은 있을 것이다. 사는 일이 바빠 연락을 하지 못했다는 것은 핑계일 뿐이다. 당신은 많은 사람을 만나왔고 스쳐 가는 만남과 깊은 만남을 동시에 가졌을 것이다. 하지만 그 어떠한 만남이라도 당신은 그 사람과의 대인 관계가 맺어졌고 그 사람은 더는 "모르는 사람"이 아니다. 연락하지 못하게 되었어도 그 인간관계가 없어지진 않는 것이다. 하지만 대부분은 내가 연락하기보다 모르는 척하고 그저 상대방의 연락을 기다리기밖에 하지 않는다.

사람은 자신이 기억되는 것을 좋아한다. 너무 오래 연락을 하지 않아 안부를 물어보기 고민되는 사람이 있는가? 그 상대방 또한 마찬가지일 것이다. 이렇게 연락이 오기만을 기다리다 보면 희미하게나마 있던 나에 대한 기억도 점점 사라질 것이다.

안부를 물어본다는 것은, 그 사람을 기억하고 연락을 한다는 것이다. 안부 인사에 거부감을 느끼는 사람은 없다. 전화를 거는 것과 전화를 받는 것은 작은 차이처럼 보이지만 그 속엔 많은 차이가 있음을 알아야 한다.

당신이 전화를 걸어 주고 서로의 안부를 확인함으로써 우연히 만나더라도 어색하지 않고 자주는 아니더라도 만나서 이야기를 하며 잠들어있던 대인관계를 깨우는 좋은 결과를 나타낼 것이다.

잊고 지낸 사람이 있다면 먼저 연락해 보는 것은 어떨까?

인생은 한 번밖에 없습니다.
어떤 일을 하든 미련을 남기지 말아야 합니다.

지금이 지나면 이 순간은 돌아오지 않습니다.
할 수 있는 모든 것을 한 뒤 후회해도 늦지 않습니다.

말하지 않으면 모른다

기분이 싱숭생숭한 날이 있다. 기분이 왔다 갔다 하는 것은 지극히 정상적인 일이고 누구나 생기는 일이다. 하지만 몇몇 사람들은 자신의 기분이 좋지 않을 때와 좋을 때의 행동이 완전히 바뀌곤 한다.

예를 들어 같은 직장 동료와 일을 같이하는데 동료가 어제 다른 사람과의 마찰로 인해 좋지 않은 기분으로 출근했다. 당신을 마주쳤는데 인사를 받아주지 않고 평소와 다른 무뚝뚝하고 퉁명스러운 말투로 대답하며 일을 할 때도 작은 목소리를 내는 등 누가 봐도 기분이 좋지 않은 모습을 보이면 당신의 마음은 어떠하겠는가?

사람들은 즐겁고 행복한 사람과 있기를 원하지, 기분이 좋지 않고 다운되어 있는 사람과 함께하고 싶어 하지 않는다. 한 번쯤은 내 기분을 표현하고 싶어서 상대방에게 툭툭 성의 없이 대할 순 있지만, 상대방 때문에 당신의 기분이 가라앉은 것도 아니며 그 사람이 당신의 기분을 알아차려 줬으면 한다고 한들 그렇게 표현해서는 안 된다. 지금 기분이 별로 좋지 않다면, 행동보단 말로 표현하라.

한가지 예를 들어보자면 "오늘 내가 어떠한 일 때문에 기분이 좋지 않다"처럼 말이다. 내가 이 말을 하면 상대방은 당신의 기분이 어떤지 바로 알아차릴 것이다. 만약 성의 없는 행동으로 당신의 기분을 표현하려 했다면 상대방은 "나 때문에 화가 났나?" "내가 무슨 잘못을 저질렀구나" 와 같은 다른 의도로 받아들일 것이다.

어느 날, 아파서 업무를 능숙하게 처리하지 못하거나 평소보다 기량이 떨어져 있을 때, 상대방이 당신의 상태를 알지 못한다면 일을 대충하는 것처럼 생각할 수 있는 상황이 생길 수 있다. 이럴때도 본인의 현재 상황을 말한다면 그 누가 화를 내겠는가?

상대의 잘못된 생각으로 인해 억울했던 적이 있을 것이다. 내가 오늘 열심히 일하고 잠깐 쉬고 있었는데 왜 온종일 쉬고 있느냐며 화를 내는 상사나 배정된 업무를 마치고 다른 일을 하고 있는데 갑자기 찾아와 "지시한 일은 다 끝내고 다른 일을 하고 있느냐"고 말하는 상황 말이다.

힘든 업무를 마치고 떳떳한 휴식을 취하고 있는데 이런 말을 들으면 기분이 상하고 스트레스 또한 받을 것이다. 하지만 상대방은 당신을 계속 관찰하지 않은 사실을 알고 있어야 한다. 당신이 쉬지 않고 일을 하고 있었든, 대충 마무리 지었든 상대방은 알지 못한다. 가장 먼저 보인 것이 휴식을 취하고 있는 장면이었기 때문에 당신을 곱게 볼 수 없는 것이다. 이러한 상황은 상대방에게 "나는 일하고 왔는데 너는 쉬고 있냐" 라는 생각을 하게 만든다.

상대에 앞서 내가 먼저 말하면 이러한 불필요한 마찰을 줄여 더 나은 사회생활을 가질 수 있다. 먼저 말하지 못했다면 상대방에게 양해를 구하고 설명하기만 한다면 전혀 문제 될 것 없다.

침묵은 모든 것을 망치는 원인이다. 당신이 입을 닫고 있다면 상대방은 당신이 일부러 말을 안 하는 것이 아닌 할 말이 없어 보이기 때문에 더 쏘아붙일 것이다. 침묵은 오해를 만들고 오해는 걷잡을 수 없을 만큼 커진다. 말 한마디로 끝날 상황을 말 백 마디로도 막지 못하는 상황을 만들지 말자.

인생에 되돌리기 버튼은 없다

불입호혈 부득호자(不入虎穴 不得虎子) : 호랑이 굴
에 들어가지 않고는 호랑이 새끼를 잡을 수 없다.

"어떤 삶을 살아갈 것인가?"

사람들에겐 다들 꿈이 있다. 허무맹랑한 꿈일 수도,
아주 적은 노력만 있으면 이룰 수 있는 꿈일 수도 있
다. 이런 것들을 전부 모아서 리스트로 작성한 것을 버
킷리스트라 칭한다. 내겐 많은 버킷리스트가 있다. 그
중 하나가 책 출판하기다. 도전해보지 않으면 매우 어
렵게 느껴지지만 내 꿈을 이루고 싶은 간절함과 거기
에서 나오는 열정만 있으면 가능하다고 느꼈다.

당신은 지금 어디를 목적지로 설정하고 가고 있는

가? 혹시 목적지를 정하지도 않은 채 흐름에 따라 살고 있는지 고민해 보아라. 당신이 하고 싶었던 것 또는 남들은 주로 하지 않았던 새로운 길을 만들어가는 꿈을 꾸었으나 사람들의 시선과 편견에 막혀 시도조차하지 못한 경험이 있지는 않은지 생각해 보아라.

지금 사는 인생은 내가 길을 만들어서 살아가는 것이지 다른 누군가가 대신 살아주는 것이 아니다. 당신이 하고 싶고 뚜렷한 목적이 있는 것을 왜 남의 시선 때문에 하지 못하는가? 그것이야말로 정말 바보 같은 짓이라고 할 수 있다. 남들처럼 똑같이 산다면 인생의 목표가 없어진다. 사람들이 전부 다 하니까 똑같이 하겠다는 생각으로 인생을 살면 그 수준에서 벗어나지 못하게 된다. 나의 소신껏 내가 맞다고 생각하는 일에 대해서는 확실하게 밀고 나가라. 나의 의견을 정확하게 표현해야 한다. **성공할 수도 있는 길을 왜 다른 사람 의견으로 인해 걸어가지 않으려 하는가.**

하나둘씩 포기하다가 보면 시간이 지난 후 다시 한번

시작하고 싶을 때가 생기지만 그때는 이미 늦어버렸을 때가 있다. 그 당시 나의 용기가 조금이라도 더 있었다면 당신의 인생은 완전히 바뀌었을지도 모른다. 정해진 길을 가는 사람보다는 모험하는 사람이 새로운 것을 발견할 가능성이 크다. 무섭다고 피하고 어렵다고 피하고 누구도 가보지 않은 길이라서 피하면 어디에도 갈 수 없다.

사람들은 대체로 편안함을 추구하는 경향이 있다. 그러나 **인생에서 편안함만을 찾다 보면 발전없는 삶밖에는 살지 못한다.** 당신의 청춘을 남들과 똑같이 남기고 싶은지, 아니면 성공이 되었든 실패가 되었든 나만이 가지고 있는 많은 기억을 발판으로 삼아 더 큰 꿈을 찾아 떠날지는 당신이 정하는 것이다.

명심하라, 당신은 무궁무진하고 가능성이 많은 사람이다. 하지만 당신을 믿지 못하고 남의 말에 휩쓸려 살아간다면 꽃도 피우지 못한 채 사라지는 변변찮은 식물밖에 될 수 없다.

끝으로 당신이 살아가며 가장 명심했으면 하는 것은

첫 번째, **남의 말에 휘둘리지 마라.**

타인의 의견을 무시하라는 말이 아니다. 조언을 받되 그 조언에 휘둘리지 마라.

두 번째, **인생은 모험이다.**

살아가면서 선택의 순간은 많다. 하지만 그때마다 안정만을 찾다 보면 발전없는 인생만이 남을 것이다. 때로는 모험을 찾아 떠나는 삶을 살고 거기에서 얻는 값진 것들을 느껴보는 것도 필요하다.

세 번째, **버킷리스트, 꿈을 가져라.**

꿈을 물어보면 없다고 하는 사람이 종종 있다. 꿈은 당신이 지금 없는 것이지만 미래에 가지고 싶은 것들을 말하는 것이지 누군가에게 잘 보이기 위해 만드는 허상이 아니다. 인생에 목표가 없다면 출발조차 할 수 없다. 무엇이든 좋으니 꿈을 가져라.

네 번째, **생각보단 행동하라.**

당신이 하고 싶은 것을 꿈만 꾸기보단 발판을 마련하는 작은 것부터 실행에 옮겨라.

어느 순간 반짝하고 꿈이 이루어지는 것이 아니다. 당신의 적은 노력이라도 천천히 시작해야지만 나중에 그 꿈을 현실로 이룰 수 있다.

후회 많은 인생을 살았다면 지금이라도 후회 하지 않을 인생을 살자는 작은 바램을 보내본다.

지나가 버린 시간은 되돌아갈 수 없습니다.

하지만 남아 있는 시간이 더 많은데

왜 과거에 연연하고 있습니까?

앞으로만 가는 부메랑

부메랑은 던지면 바람을 타고 던진 자리로 다시 돌아온다. 부메랑을 던지는 이유도 분명 내게 다시 돌아올걸 알기 때문에 마음 놓고 던질 것이다.

살아가면서 부메랑 같은 인간관계를 많이 가져왔지만 때로는 돌아오지 않고 앞으로만 가버리는 부메랑 같은 관계가 존재했고 이번엔 그것에 대해 이야기해 보려 한다.

"앞으로만 가는 부메랑"은 앞뒤가 맞지 않는 말이다. 부메랑은 과학적인 원리를 따라 원형을 그리며 돌아오는데 어떻게 앞으로만 갈 수가 있느냐는 의문이 생길 것이다.

과학적으로는 항상 돌아오는 게 맞지만, 인생에서는 그런 과학적 원리가 적용되지 않을 때가 있다. 대표적으로 "Give and take"라는 문장이다. 무언가를 상대방에게 주면, 상대방도 나에게 그에 상응하는 답례를 보낸다는 뜻으로 해석할 수 있고 쉽게 말해, 주면 돌아오는 것이 있다는 의미로 생각할 수 있다. 이러한 행동은 내가 이만큼 해줬으니까 상대방도 이만큼, 혹은 더 많이 나에게 답례를 해주겠지? 라는 기대심에서 생겨난 말이기도 하다.

　인간관계에서는 이런 관계를 많이 찾아볼 수 있는데 대표적으로 축의금, 조의금 등을 예로 들 수도 있고 남녀 간의 사랑이나 친구 간의 우정, 의리 같은 것도 예시로 볼 수 있다.

　"상대방이 준 만큼 나도 준다."만 생각하고 살아간다면 절대로 좋은 사회생활과 인간관계를 유지할 수 없다. "내가 이만큼 해줬는데 상대방은 왜 내가 해준 만큼 해주지 않지?"라는 생각도 들고 더불어 배신감도

들 수 있다. 그럼 자연스럽게 상대방에게 "왜 너는 내가 해준 만큼 안 하냐"라는 갈등이 생기게 되고 상대방은 당신을 속물 취급할 수도 있다. 서로의 생각이 달라 일어나는 예도 있는데, 상대방은 당신에게 받은 만큼 자신은 같은 것이 아닌 다른 형태로 보답 해줬으나 서로 생각하는 가치가 달라 이러한 상황이 벌어지는 일도 있다. 절대로 내가 준 만큼 받을 것이라는 생각을 하지 마라. 내가 주었던 Give가 누군가에겐 부담이 될 수도, 누군가에겐 그 가치가 생각했던 것과 다르게 측정될 수 있기 때문이다. 만약 그런데도 당신이 G.T를 실천하고 싶다면 이 두 가지의 말을 전하고 싶다.

첫 번째, **서로의 생각은 다르다.**

내가 10의 가치를 한다고 생각한 것이 상대방에게는 5의 가치로 느껴질 수 있다. 사람의 생각은 전부 다름을 이해하여야만 깊은 관계로 발전해 나갈 수 있다.

두 번째, **어떻게 돌아올지 모른다.**

내가 Give를 하고 난 후 상대방이 나에게 줄 Take를 생각하지 마라. 상대방은 당신에게 받은 것을 전부 기억하고 돌려줄 의향이 있지만, 당신에게 한 번에 줄지, 수차례 나누어서 줄지도 모르고 언제 주는지조차도 알 수 없다. 심지어는 몇 년 동안 오지 않을 수도 있다. 이러한 생각을 가지면서 당신의 Give가 더 큰 이익의 Take를 바라고 하는 행위가 되지 않았으면 한다.

내가 던진 부메랑이 앞으로만 가는 것처럼 보인다면, 지구를 한 바퀴 돌아 다시 내게 돌아오리라 생각하라. **물질적인 이익 관계를 맺는 것도 좋지만 내가 이 사람과 정서적으로나 심적으로 유대관계를 가진다는 것으로 만족하면 어떨까?**

나이는 결격사유가 아니다

뜬금없이 무언갈 하고 싶다는 생각이 떠오르곤 한다. 하지만 그런 생각은 대부분 얼마 안 가 기억 속에서 잊히곤 하는데 가장 큰 이유는 그 일이 시간도 오래 걸리고 지금 하더라도 많이 늦은 것 같다고 생각해 의지를 잃게 되면서 서서히 잊어버리는 게 대다수이다.

하고 싶다는 욕구가 생긴 이유는 내면에 숨어있던 의지가 잠깐이나마 수면 위로 올라왔다는 이야기인데, 서서히 잊어버렸다는 것은 이어나가고 싶었던 의지가 사라진 것이다. 무언가를 하고 싶다는 욕구가 생긴 것은 당신이 그것을 할 수 있다는 능력이 충분하니까 자연스레 든 생각이란 것을 알려주고 싶다.

하고 싶은 일이 생겼는데 그것을 도전해보지도 않고

단지 "나이" 때문에 시작조차 하지 않았다는 것은 부끄러운 일이다.

"There is no age limit on learning."

배우는 것엔 나이 제한이 없다. 라는 영어속담처럼 원하는 걸 하는 것에 왜 나이 제한이 있겠는가? 이 세상 무엇도 적정 나이는 없다. 당신이 하고 싶으면 하고 당신이 배우고 싶으면 배워라. **지금 그 생각이 들었을 때 당장 하지 않는다면 나중엔 하고 싶다는 생각조차 할 수 없게 되고 살아가며 가장 큰 후회로 남을 것이다.**

요즘 인터넷을 보면 어릴 때부터 사업을 시작하는 사람들이 종종 보이곤 한다. 예전 시각으로 보면 "공부도 하지 않고 쓸데없는 것만 한다."라는 소리밖에 나오지 않았지만 최근 들어서는 어릴 때부터 많은 경험을 쌓는 게 보기 좋다는 말이 더 많이 들린다.

왜일까? 세상이 바뀐 것이다. 이젠 틀에 박혀 정해진 것처럼 사는 것이 아닌 자신의 길을 찾아 내가 하고 싶은 것을 하며 사는 세상이 된 것이다. "나도 할 수 있을까?"라는 생각은 버리고 "나도 할 수 있다"라는 마음가짐을 가져라.

눈치 보며 살면 아무것도 하지 못한다. 자신이 하고 싶고 떳떳한 일이면 곧장 해야 한다. 남 눈치까지 보며 인생을 살면 아무것도 할 수 없다. 그리고 당신이 하고 싶다는 생각을 하는 그 순간이 당신의 미래를 바꿀 엄청난 기회인 것이다. 그 기회를 귀찮음이나 남의 눈치 때문에, 혹은 나이 때문에 포기한다면 발전하지 못하는 삶을 살아갈 수밖에 없다.

하루라도 빨리하는 것이 인생을 평범하던 삶에서 의미 있는 삶으로 만들어 주는 길이다. 당신은 무엇이든 할 수 있다. 어떤 것을 하든 늦지 않았으며 지금 사는 그 순간순간이 황금기라는 것을 알았으면 한다. 하고 싶었지만 여러 이유로 미뤄왔던 게 있다면 지금이라도 시작해 보는 것은 어떨까?

밀고 당기는 것.
상대방의 생각과 당신의 생각은 다릅니다.

진심을 표현하는 것이 가장 솔직한 방법입니다.

인정투쟁의 전리품

당신은 지금까지 몇 개의 자격증을 보유하고 있는 가? 자격증이 많은 사람도 있을 것이고 하나도 없는 사람도 있을 것이다.

자격증은 왜 존재하는 것인지 생각해 본 적이 있는 가? 취업에 도움이 되는 등 여러 가지 이유가 있겠지 만 그중 하나는 "사회의 인정"이다. 사람은 타인에게 자신의 전문성이나 능력을 인정받고 싶어 하는데 이러 한 인정을 통해 자신감, 자부심 등을 가진다. 이러한 "사회적 인정"을 얻고 싶어 하는 것을 "인정욕구"라고 한다. 만약, 타인보다 뛰어난 실력이나 전문성을 자랑 하고 싶으면, 무엇으로 증명할 것인가? 그 해답은 아무 나 가질 수 없는 종이 문서, 자격증 뿐이다.

아무 지식 없는 타인에게도 자격증 하나로 전문성을 인정받을 수 있다. 종이 문서 하나만으로도 인정받을 수 있지만, 그 종이 쪼가리마저 없다면 어떻게 타인에게 뛰어난 능력을 증명할 것인가? 물론, 같이 일하는 동료나 가까운 지인은 당신의 능력과 전문성을 인정해 주겠지만, 당신을 모르는 사람에게는 전문성을 증명할 수 있는 수단이 아무것도 없다.

이처럼 자격증은 그 직종의 전문성을 인정받을 수 있는 수단이며, 타인에게 나를 가장 쉽게 증명할 수 있는 수단이기도 하다.

어디를 가도 인정받을 수 있는 인정 투쟁의 전리품을 만들어라. 그리고 아끼지 말고 사용하라. 있는 것과 없는 것은 하늘과 땅 차이다. 타인보다 우월한 무언가를 만들어라. 당신을 필요로 할 수밖에 없는 이유를 만들어라. 그 누구도 반박할 수 없는 무언가를 말이다.

보이지 않는 힘

권력은 참으로 무서운 것이다. 물론 권력을 얻은 직후는 누구나 그렇듯 힘을 이용해 타당하지 않은 일을 진행하거나, 직급이 낮은 상대방을 무시는 하지 않는다. 왜? 당신도 하급자의 과정을 겪었고 그들이 바라는 게 무엇인지, 그 당시 내가 생각했던 이상적인 관리자의 모습을 기억하고 있기 때문이다.

권력을 얻고 시간이 지나다 보면 상황이 많이 다르다는 것을 깨닫게 된다. 하급자와의 의견 충돌이 있고, 모두의 편의를 봐주려 하다 보니 일이 제대로 진행되지 않는다. 하급자의 의견을 무시하며 나의 뜻대로 진행하는 일이 잦아지고 하급자를 내 생각대로 만들고 싶어진다. 나와 의견이 자주 대립하는 사람은 좋지 않게 평가하고, 나와 의견이 잘 맞는 사람은 내 편으로 만들어 버린다. 권력은 남을 지배하여 복종시키는 힘이라는 의미를 지니는데, 권력을 얻을 줄만 알고 사용할 줄 모르면 결국 폭군이 될 수밖에 없다.

당신의 권력이 "하급자를 마음대로 부려먹을 수 있는 완장"이라고 생각하지 마라. 그 누구도 폭군 정치를 하라고 권력이라는 완장을 채워주지는 않는다. 권력을 얻은 후 폭군이 되지 않으려면 아랫글을 읽고 마음속에 항상 가지고 있어라.

첫 번째, **하급자였을 때를 생각하라.**

"개구리가 올챙이 때 기억하지 못한다."라는 말이 있다. 이는 상급자가 되었을 때 가장 말단에 있었던 본인의 마음을 잊어버리는 모습과 일치한다. 당신이 좋은 권력자가 되기 위해선 내가 가장 순수했고 힘이 없을 때를 떠올리고. 그 당시 내가 가장 바라왔던 "이상적인 권력자"가 되기 위해 노력하라.

두 번째, **편견을 버려라.**

편견이 있다면 올바른 판단을 내릴 수 없다. 나에게 적대적인 사람이더라도 지금 처한 상황에 대해서만 생각하고 판단하라.

세 번째, **타인의 잘못에 대해 관대해져라.**

가장 어려운 일이라고 생각한다. 사람은 실수하기 마련이다. 당사자도 많이 자책하고 있을 것이다. 거기에 권력을 이용해 더 큰 압박을 가한다면, 상태 회복은 더욱이 지연될 것이다. 실수에 대해서는 관대해지고, 성공에 대해서는 힘찬 박수를 보내라. 당신이 더욱 "이상적인 사람"이 되는 길이다.

네 번째, **돌아볼 줄 알아라.**

아무리 권력을 쥐고 있는 "나"라도 실수하는 부분이 있고 때로는 규칙을 어기는 행동을 한다. 그 누구도 당신에게 잘못되었다고 말하지 않는다. 다만, 속으로만 알고 있을 뿐이다. "서로 좋은 게 좋은 거다"라는 말이 있는 것처럼 나를 돌아볼 줄 알고 하급자의 빈틈만을 파고들려 하지 마라. 하급자가 무너진다면 하급자 위에 존재하고 있는 당신은 더 크게 무너질 것이다.

배신과 불신

지인이 나에게 평소 제안하지 않던 좋은 제안을 했다. 믿고 해달라고, 생각해서 해주는 것이라고. 그 당시에 나를 위한 호의였고 좋은 제안을 하는 사람에게 요목조목 따지는 것이 미안해서 제안을 수락했었다.

하지만 나에게 남은 것은 "배신" 뿐이었다. "믿음"과 "호의"라는 포장지를 씌우고 사기를 친 것이다. 결국 모든 피해는 나에게 전가되었고, 상대방은 이익만을 챙긴 채 떠났다.

사회에 처음 나왔을 땐 세상이 참 아름다웠었다. 모두 의리가 있어 보이고, 다들 관대한 것 같고, 믿음이 넘쳐 보였다. 하지만 실상은 다르다는 것을 알기 까지는 그리 오랜 시간이 걸리지 않았다. **내가 봤던 아름다운 사회는 누군가를 이겨야만 하는 "경쟁사회"였다.** 내가 봤던 친절과 관대함 속에는 나의 약점을 찾는 눈이 존재했지만 보지 못했다. 사람은 자신의 이익, 권력, 명예를 얻기 위해서라면 1초만에 바뀐다는 것을 알지 못했다.

이익을 얻는다면 상대방의 피해는 전혀 상관없다. 상대방의 10을 뺏고 나는 1밖에 취하지 못한다 해도 사람들은 주저하지 않고 상대방 것을 빼앗는다. 세상의 어두운 면을 그 누구도 알려주지 않는다. 알기 위해선 누군가의 "배신"을 겪어봐야 비로소 깨닫는다. 이런 "배신"은 사회생활 속에서 만나는 여러 사람들을 점점 "불신" 하게 되는 이유다.

살아가며 많은 배신이 있을 것이다. 그때마다 바닥까지 떨어지지 않으려면, 당신의 모든 것을 주지 마라. 그게 누구라도 말이다. 이에 대한 해답은 다음 장에서 볼 수 있다.

아낌없이, 어쩌면 생각없이

많은 "호의"가 있지만 그 속에는 나의 심장을 뺏으려 하는, 속마음을 알 수 없는 사람들도 있다는 것을 기억하라. 세상에 공짜는 없고 손해 보는 장사는 더더욱 없다.

이렇듯, 세상은 당신을 잡아먹기 위해 눈독 들이는 사람이 존재하는 곳이다. 잡아먹히지 않으려면 언제 어디서든 생각하며 살아라. 잘 알지 못하는 사람이 나에게 사과를 준다면, 먹기 전에 독이 든 사과는 아닌지 확인하라. 확인하지 않고 먹고 나서는 이미 독이 퍼지고 난 뒤기 때문에 되돌릴 수 없다. 처음 보는 사람을 경계하는 것은 물론이고 서로 아는 사이라도 약간의 경계를 가질 줄 알아야 한다.

차를 운전해서 마트로 가고 있었다. 신호대기를 하기 위해 정차 중이었는데 뒤에서 작은 충돌을 느꼈다. 뒤 차가 내 차를 박은 것이다. 아무것도 보지 않아도 상대방의 잘못이 100%라고 판단할 수 있는 상황이고, 내려서 상태를 확인하니 상대방 차주는 고령의 노인이다. 매우 죄송하다는 표현을 하며 자신이 보험이 없어 곤란한 상황을 설명한다. 내 피해는 뒷 범퍼가 조금 찌그러진 것 말고는 없다. 여기서 상대방에게 괜찮다고 하고 그냥 없는 일처럼 보내는 것이 과연 "호의"라고 할 수 있을까?

상대방이 고령의 노인인 것을 고려해 내 돈으로 수리하는 것이 마음 편하다 생각하고 보내주는 사람도 있고, 공과 사는 구분해야 한다며 일반적인 사고처리 절차를 진행하는 사람도 있다. 과연 무엇이 맞는 것일까? 정해진 답은 없지만, 사회생활에서는 냉정할 줄 알아야 하고 내가 베푼 호의가 진정한 배려가 아닐 수 있다는 것을 알려주고 싶다. 남에게 호의를 베풀려고 노력하지 마라. 내 것을 내주면서까지 베푸는 호의는 상대방을 위하는 것이 아닌 나를 깎아먹는 일이다. 동정에 휩쓸

려 내가 손해를 감수한대도 알아주는 사람은 없다. 상
대방이 나와 친분이 있는 사람이라면 미래를 생각하고
"투자"하는 것으로 볼 수 있다. 그러나 당신과 아무런
접점이 없는 사람에게까지 베푸는 것은 "호구"에 불과
하다는 것을 기억하라.

책을 펴 글자를 읽고 책을 덮는다고 해서

당신이 똑똑해지는 것이 아닙니다.

당신은 왜 이 책을 읽고 있습니까?

무엇을 얻고 무엇을 해야 하는지 왜 읽고 있는지

말할 수 있습니까?

실패는 성공의 어머니가 아니다

"실패는 성공의 어머니다"라는 말을 들어본 적이 있는가?

여러 사람들이 이런 말을 새겨 듣고, 실패해도 다시 도전하는 힘을 얻곤 하지만, 또 다시 실패를 경험하고 포기해 버리고는 한다. 단지 내 수준이 성공이라는 시험의 커트라인에 미치지 못해서 그런 것일까?

실패를 경험한다면 실패를 단어 뜻 그대로 받아 들이고 아무것도 얻지 못한채 다시 도전한다. 하지만 거기에서 무언가를 얻으려면, 무엇 때문에 실패했는지, 그렇게 하게 된 이유는 무엇인지, 어떤 것을 생각해야 하는지 배워야 하는데, 아무 의미 없이 재도전만 계속하고 있다.

지금 당신이 과거에 도전했지만 포기했던 자격증 시험이나, 여러 가지 시험에서 떨어졌던 경험을 떠올려 보아라. 당신의 지능이 남들보다 낮아 떨어진 것 같은가?

아니다. **합격한 사람과 당신의 다른 점은 "노력"과 "의지"의 차이다.** 당신이 진정으로 노력했다면, "포기" 라는 생각조차 들지 않아야 한다. 또한 다시 도전해 실패에서 자신이 부족했던 부분을 더 배워 실패했던 자격증이나 시험 합격증이 있었어야 하는게 맞다. 포기한 채 다른 길을 찾아 나선 당신은 의지가 부족했던 것이 아닐까? 지금 되돌아보고 생각해 보아라. 당신이 도전했던 그 의지가 진짜였는지 가짜였는지.

실패에서 무엇을 얻는 것도 값지지만, 경험하지 않는 것도 중요하다. 실패했다는 것은 자랑스러운 것이 아니다. 많은 사람들이 가볍게 생각하는데, 작은 실패들을 경험하는 것과 인생의 갈림길에서 잘못된 선택을 하여 실패하는 것은 완전히 다르다. 작은 것들은 다시 재기할 수 있지만, 인생을 좌우할 큰 일에서 실패한다면 다시 일어날 수조차 없는 인생이 되어버릴지도 모른다.

실패 없는 인생에서 살고, 성공만을 바라보며 살아라. 실패한다면 무의미한 재도전보단 실패한 이유를 전부 분석하고 재도전하라. **실패에서 얻을 것도 분명히 있지만, 성공하는 것보다 더 얻기는 힘들 것이다.**

누군가 성공하면 박수를 쳐주고,
누군가 실패하면 격려를 해주세요.

가장 단순한 공감조차 해주지 못한다면
당신은 그 누구도 진심으로 대할 수 없습니다.

어떻게 살 것인가

미래에 어떤 사람이 될 것인가?

정말 어려운 질문이다. 자신의 미래에 대해 구체적인 목표를 정해본 적이 없으면 말이다.

목표가 없는 사람들은 정확하게 계획한 것 없이 먼 미래에 "~이 되었으면 좋겠다"라는 허무맹랑한 꿈만 가지고 살아간다.

"~이 되었으면 좋겠다"라는 문장은 의지가 매우 약하다는 것을 보여준다. 어떤 것이 되고 싶어 미래에 대한 계획을 세우고, 무엇을 해야 바라던 것에 한 걸음 나아갈 수 있을지 생각하며, 언제 행동할지 계획을 정했다면 틀림없이 "~이 될 것이다"라는 문장이 입에서 나올 것이다.

계획을 세워도 여러 가지 변수 때문에 이루지 못하는 경우가 많다. 하지만 계획을 정해놓고 살아가는 것과 아무 계획 없이 살아가는 것은 완전히 다른 것이다. 미래에 대한 구체적인 계획이 있다면 삶을 살아가는 데에 있어 동기부여와 목표감으로 인해 더 진취적이고 발전적인 생을 살 수 있다.

반대로 아무 계획 없이 살아간다면 삶에 대한 의욕도 떨어지고 미래가 그려지지 않는 삶을 살아갈 수밖에 없다.

그렇다면 어떤 계획을 세워야 할까? 계획을 세우고 싶으나 어떻게 미래를 그려나가야 하는지 길을 찾지 못하는 사람을 위해, 계획 수립방법을 알려주려 한다.

첫 번째로, **자신이 가장 되고 싶은 이상의 모습을 그려라.** 의사가 되는 것도 상관없고, 100억을 보유한 자산가도 상관없다. 최종적인 나를 정하라.

두 번째, **가장 가까운 1년 이내에 이루고 싶은 계획**

을 세워라. 허무맹랑한 것보다는 첫 번째에 계획했던 이상적인 모습이 되기 위한 기본적인 준비물을 계획으로 세워라. 구체적인 실행 방법을 구상할 수 있는 자격증 취득이나 기초 자본 획득 방법 등 지금 준비했을 때 가능한 것들을 중점으로 계획하라.

세 번째, **두 번째 계획을 어떻게 활용해야 처음 세웠던 목표에 다다를 수 있는지 작성해 보아라.** 두 번째에 예를 들었던 자격증 취득을 이번 단계에선 자격증을 활용해 상위 자격증을 취득하는 것으로 계획할 수 있고, 자산가가 목표라면 기초 자금을 획득하고 나서 어떤 방식으로 자금을 불려 나갈 것인지 구체적으로 날짜를 정해 계획하라.

네 번째, **동요하지 마라.**
자격증 시험을 쳤는데 실패할 수도 있고, 기초 자산을 모으던 중 큰돈이 나가야 하는 상황이 생길 수 있다. 상황들을 맞이해도 거기에 사로잡혀 의지를 잃지 마라. 변수가 생겼어도 처음에 세웠던 이상적인 모습이 바뀌는 것은 아니다. 무조건 달성한다는 생각을 가지고 계획적으로 살아간다면, 변수가 발생해도 크게 개의치 않을 것이다.

이러한 계획들을 모두 작성했다면 작성하는 것에 그치는 것이 아닌, 항상 나의 목표가 무엇인지 다시금 생각할 수 있도록 작성한 문서를 자주 볼 수 있는 곳에 전시하라. 화장실 문이 될 수도 있고, 휴대폰 배경화면이 될 수도 있다. 그 누군가가 당신의 계획을 보고 비웃는다 할지라도 전혀 부끄러워할 필요 없다. 부끄러워해야 할 사람은 내가 아닌 아무런 계획 없이 살아가고 있는 상대방일 뿐이다.

한번 살아가는 인생을 살아가면서 목적 없이 사는 것이 정말 슬퍼 보이지 않는가? 자신이 무엇을 하고 싶은지도 모른 채 살아가다 쓸쓸히 끝을 기다리며 시간만을 죽이고 있는 모습을 떠올려 보면 말이다.

계획적으로 살아라. 아무런 계획 없이 버리고 있는 그 시간 동안 남들은 더 멋진 미래를 만들어가고 있다.

달콤한 거짓말

"멍청한 사람은 사기꾼도 할 수 없다"

사기를 치려면 머리가 굉장히 똑똑해야 한다. 내가 노리고 있는 목적을 상대방이 알지 못하도록 은밀히 이득을 챙겨 떠나야 하기 때문이다. 그러면 사기꾼의 말에 속아 피해를 보는 사람들은 멍청한 것 일까?

사기를 잘 당하는 사람들 대부분은 남들에게 "성격이 좋다"라는 이야기를 많이 듣는다. 하지만 때론 달콤한 거짓말의 표적이 될 수 있음을 명심해야 한다.

가장 먼저 **순진한 성격을 가지고 있는 사람**이 많다. 누군가의 요구를 쉽게 받아주고 상대방에게 요구하는 것은 두려워한다. 사기꾼들이 가장 좋아하는 유형 중

하나인데, 이런 유형은 사람을 쉽게 믿고 배려해야 한다는 생각을 가지고 있기 때문에 주장을 강하게 펼치지 못한다. 너무 순진한 것이 오히려 독이 될 수 있다는 것을 알고 예스맨의 성질을 버려야 한다.

두 번째로, **압박감을 이기지 못하는 사람**들이다. 평소 일상생활에서는 나타나지 않지만, 누군가 강하게 밀고 들어오거나 심리적 부담감을 주면 자신의 의지와는 다르게 잘못된 판단을 하는 유형이다. 이러지 않기 위해서는 어떠한 상황에서도 당신의 주장을 펼칠 수 있는 마음가짐이 필요하다. 조금만 더 생각해도 잘못되었다는 것을 알 수 있지만 상황을 회피하기 위해 상대방의 요구를 다 들어주는 것은 잘못된 것이다. 만약 이러한 상황이 닥친다면, 그 자리에서 혼자 생각하거나 바로 결정을 내리기보다는 다른 사람들의 조언을 듣고 차분한 마음으로 생각 할 시간을 가지는 습관을 가져라.

마지막으로, **욕심 많은 사람**들이다. 자신의 이익을 위해 욕심을 부려 조금 더 얻어가려는 습성이 몸에 베인 사람들도 많은데, "조금만 더"라는 욕심이 큰 화를 불러올 수 있다.

사람은 자신이 가진 것에 대해 항상 만족하지 못하고 내가 가지지 못한 것에 대한 욕심이 생기기 마련인데, 그것을 가지기 위해 무리하게 하다 보면 결국엔 가진 것 또한 다 잃어버리는 상황을 맞을 수 있다.

항상 냉정하게 판단해야 하지만 내 이익만을 내세우다 보면 얻으려 하는 이익만 보여 그 주변에 있는 잘못된 점은 고려할 수 없게 된다. **때로는 겸손할 줄 알고 내가 가진 것에 만족**할 줄 아는 마음을 가져야 한다.

이 외에도 여러 가지 유형들이 있다. 이러한 유형들이 나쁜 것은 아니지만 너무 순진하고 유하게 살다 보면, 삶을 살아가는 데에 있어서 독이 되는 부분도 있다는 것을 알아야 한다.

수많은 유혹들이 있고, 때로는 인생에 단 한 번뿐인 기회라고 생각되는 일들도 찾아오지만 그것이 달콤한 거짓말일지 아닐지는 스스로 판단해야 한다. 당장 수락하기 보다는 "왜?" 라는 질문을 던져 스스로 생각해 보아야 한다. 세상에 공짜는 없다는 것을 잊지 말고 살

아라. 나 스스로가 감정에 휩쓸려 이성을 잃어버리지
않도록 매 순간마다 생각하고 행동하는 사람이 되자.

내유외강

속칭 "좋은사람"이 되려면 어떤 모습을 보여주어야 할까? 누군가에게 외적으로 보여지는 외적 면도 중요하고 나의 인품이 담겨 있는 내면도 중요하다고 생각할 것이다. 겉이 중요한지 속이 중요한지 묻는다면 어떤 답을 할 것 같은가?

이 질문의 답은 하나의 면을 중요하게 생각하고 다른 면은 동일한 가치를 부여하지 않는 고정관념에서 벗어나 외면과 내면 두 가지를 모두 다 키워나가야 한다는 것이다.

외면이 뛰어나지만 내면이 형편없다면 누군가의 정서적, 심신적 지지자가 될 수 없을 것이다. 반대로 외면이 약하고 내면이 강하다고 한들 타인에게 가장 먼저 보여지는 것이 약해보이기 때문에 쉽게 접근할 수 없다. 이러한 이유로 한쪽 부분만을 키운다고 한들 좋은 사람 이 되긴 힘들어진다.

어떤 상황을 마주했을 때 그것을 이겨낼 수 있어 보이게 하는 외적인 면, 타인의 마음을 안정시켜줄 수 있는 인품을 가진 내적인 면이 조화를 이루어야 비로소 내유외강이라고 할 수 있을 것이다.

본인이 외면이 부족하다는 생각이 든다면, 외적으로 보이는 근육, 외모, 스타일에서 변화를 줄 필요가 있다. 내면이 아무리 뛰어나다 한들 외면이 부족하다면 시작조차 할 수 없는 상황이 생기기도 하기 때문에 자기 자신에게 몰두하는 시간을 가지고 나를 꾸며나가며 자신감을 가질 필요가 있다.

반대로 내적인 면이 부족하다면, 나를 다시 돌아보는 시간을 가질 필요가 있다. 어떤 상황에서 나 스스로를 제어시키지 못하는지, 타인이 나에게 해주는 진심 어린

조언을 무시하지는 않는지, 나보다 약해 보이는 사람을 잡아먹으려 하고 얕잡아 보는 행동을 한 적은 없는지 작은 것들까지 되돌아보아야 비로소 나의 문제점을 발견할 수 있다.

외적인 모습을 가꾸고, 내적인 마음까지 부드러워 진다면 모두를 포용할 수 있는 사람의 성품을 갖춘것이라 할 수 있다. 삶에서 조금은 부드럽지만 때는 강하게 사는 것이 좋은사람이 되는것이라 이야기 해 주고 싶다.

아무것도 하지 않는다면,
아무 일도 일어나지 않습니다.

때로는 뒷일을 알 수 없어도
자신을 믿고 저질러 보는 것도 괜찮습니다.

목적지에 도착하진 못했지만

당신은 꿈을 가지고 있는 사람인가? 아니면 아직 미래를 정하지 못하고 방황하고 있는 사람인가?

그 무엇도 괜찮다. 꿈을 가지고 있다면 달성하기 위해 더 노력하고, 꿈이 없다면 하루빨리 나의 미래를 찾기 위해 노력하면 되기 때문이다. 지금 하려는 이야기는 꿈이 있냐 없냐가 중요한 것이 아닌 오직 꿈이라는 목표를 이루어야만 행복하다는 생각을 변화시키는 이야기이다.

꿈을 이룬다는 것은 가장 아래에서 시작하고 천천히 올라가 목적지에 달성하는 것이다. 하지만 우리는 꿈을 이루는 것, 최종 목적지만을 본다. 목적지에 가며 들렀던 휴게소, 경유지 등은 모두 잊은채 말이다.

물론 **가장 되고 싶은 최종적인 꿈이 가장 중요하다는 말에는 동의한다. 하지만 꿈을 이루어야만 행복을 가질 수 있다는것엔 동의 할 수 없다.** 그 꿈을 이루기 위해 내가 달려왔던 것, 자격증을 따고 실패도 경험하고 성공도 경험하는 그 경유지에서도 행복을 찾을 수 있는 것을 우리는 잊고 살아간다.

꿈을 이루기 위해 계속 도전 하지만 아무것도 이룬 것이 없는 것 같고, 실패할 것 같은 인생이라 느껴진다면 내가 지금까지 해왔던 것들을 다시 볼 필요가 있다. 꿈을 이루기 위해 노력하고 공부했던 것들은 모두 당연한 것이 되어버려 아무런 행복을 느끼지 못한 것이다. 그 꿈을 향해 달려가며 내가 배우고 노력한 것들이 **그저 목적지가 아니란 이유로 무시하는 태도를 바꾸어라.**

목적지를 향해 가며 스치며 지나간 것들을 성공이라 생각하고 행복을 얻어라. 목적지까지는 얼마나 남았을지 모르지만 지나온 모든 것들엔 엄청난 노력이 있었음을 알고 있다. 다른 사람들은 그것이 실패라고 할지 모르지만, 아직 꿈을 이루지 못했을 뿐이지 실패한 것이 아니라고 외쳐라. 자신을 믿고 작은 것 하나하나부터 감사함을 느껴라. 작은것들에서 행복을 찾지 못하고 느끼지 못한다면 목적지에 도착했을 때 행복보다 공허함이 더 클 것이다.

여러 경유지를 지날때마다 목적지에 가까워지는 사실을 잊지마라. 아직 얼마나 남았냐가 중요한 것이 아닌 지금까지 오기까지 얼마나 달렸는지가 중요한 것이다.

누군가 당신을 싫어합니까?
당연한 것입니다.

날 좋아하는 사람은 이렇게나 많은데
어떻게 싫어하는 사람이 하나도 없을 수 있겠습니까?

모르겠습니다

　직장에서 같은 나이 또래가 신입으로 들어왔었는데, 아는것이 무척 많았다. 물어보지도 않은것도 본인 스스로 타인에게 설명하고, 모르는 부분이 있으면 갑자기 튀어나와 자신이 알고 있는 듯 행동하고는 했다. 나는 이 친구가 무척 아는 것이 많고 유식한줄 알았다.

　그때까지였다. 그 생각은 얼마 지나지 않아 깨졌는데, 내가 알지 못하는 부분이 있어 물어보니 의기양양하게 대답하며 설명했다. 그 순간 어디선가 관련 분야를 전공한 관리자가 등장했다. 나는 마침 잘 됐다 싶어 서로 그 문제에 관해 이야기해 보라 했고 아니나 다를까 나에게 설명했던 대부분은 거짓된 이야기였다. 기본적인 상식조차 모르는 것이 들통난 것이다. 그 자리에서 친구의 민낯이 밝혀지는 것을 보고 있자니 불쌍하기 짝이 없었다. 얼마나 부끄러웠을까 생각도 들고 겸손하지 못한 것에 대한 안타까움도 들었다.

혹시 살아가면서 우월감을 얻기 위해서나 여러 가지 이유로 아는 척을 해본 경험이 있는가?

삶을 살아가면서 내가 가지고 있는 얕은 지식을 보다 많이 알고 있는 것처럼 말할 때가 있다. 이러한 자세도 틀린 건 아니지만, **내가 알고 있어도 모르는 것이 더 많기 때문에 항상 배워야 한다는 겸손한 자세가 필요하다.** 교육을 받아 지식이 해박하거나 전문적으로 전공을 했다면 괜찮겠지만, 그렇지 않은 경우가 대부분이기 때문이다.

누군가에게 잘 보이기 위해서, 나의 수준이 높아 보이기 위해서 모르는 부분을 마치 알고 있는 듯 이야기하다 보면 언젠간 들통나게 되어있다. 아는 척 하기 보다는, 전혀 지식이 없더라도 겸손한 자세로 배우려 하는 것이 더 좋은 인상을 심어 줄 수 있다.

모른다는 것은 잘못된 것이 아니다. 세상은 넓고 할 것은 넘치는데 어떻게 모든 것을 알 수 있겠는가. 자신의 학력이 어떻든, 상대방이 나보다 나이가 많든 적든, **배울 수 있는 점이 있다면 부끄러워하지 않고 배워라.** 배우려고 하는 자세를 가진 사람에게 어느 누가 손가락질할 수 있겠는가? 또한 당신이 가르칠 수 있는 부분이 있다면 주저 말고 가르쳐라. 서로의 부족한 점을 채워주는 것 또한 대인관계의 일부이고 자신이 부족한 부분을 끊임없이 생각하고 배우려는 사람이 가장 아름다운 사람이다.

무슨 일을 하더라도,

뒤를 돌아보면 안 됩니다.

모든것이 다 끝나고 돌아봐도 늦지 않습니다.

나만 놓으면 끝나는 관계

사람과 사람 사이엔 두 가지의 관계가 있다. 서로 힘을 쏟아 유지하는 관계와, 한쪽이 더 큰 힘을 쏟는 관계이다.

첫 번째 관계는 우리가 일상생활 속에서 흔히 접할 수 있는 일반적인 모습이다. 누군가와 의사소통을 하고, 심심찮은 농담도 던지고, 감정을 교류하는 관계이다. 하지만 두 번째는 조금 다르다. 한쪽이 관계를 유지할 생각이 크게 없지만 다른 한쪽이 유지하고 싶어 해 붙잡고 있는 관계다. 이러한 상황이 벌어지는 이유는 무엇일까.

대인관계에선 누군가를 내 편으로 만들고 싶어 하는

소유욕이 생긴다. 이 사람이 나에게 필요한 존재라고 생각한다면 내 것으로 만들기 위해 상대방의 요구를 맞추어 주고, 때로는 즐겁게 해주며 추억을 쌓아간다. 하지만 이렇게 유지되던 관계에서 둘 중 한 명이 마음을 돌린다면 상황은 달라진다. 서로 힘쓰던 관계에서 한 명이 풀어버린 힘을 다른 한 명이 오로지 부담해야 한다는 것이다. 힘을 풀어 버린 사람은 더는 이 관계를 지속하고 싶지 않다는 것인데, 남은 한 사람은 미련이 남아 포기하지 못하게 되고 상대방이 놓아버린 힘까지 자신이 채워버리는 것이다. 힘을 풀어버린 쪽은 자신이 힘을 풀어도 유지해 주니 해도 그만, 아니어도 그만이라는 생각을 가진다. 결국 나만 포기하면 다 끝나는 관계를 억지로 붙들고 있는 상황이란 것이다.

살아가면서 관계를 끊을 줄도 알아야 한다. 나에게 도움이 되지 않거나, 서로 힘쓰지 않는 관계를 내가 신경을 써가면서까지 유지할 필요는 없다. 지금 관계가 깨져버린다면 나의 인간관계에서 큰 타격을 입을 것만 같고, 친했던 누군가를 떠나보내고 남은 빈자리가 너무 클 것 같아 차마 끝내지 못하는 경우도 더러 있다. 하지만 당신이 그 관계를 유지하면서 얻을 수 있는 이익을 생각해 보면 답은 정해져 있다. 나를 놓아버린 상대방을 붙들고 있어봤자 내게 무엇이 남겠는가? **때로는 더 나은 인간관계를 위해 끝 낼 줄 아는 것이 삶을 더 지혜롭고 현명하게 살아가는 방법이다.**

왜 늦었다고 생각하나요?

아직 상대방은 당신을 기다리고 있습니다.

말하지 못했던 진심을 표현해야 할 시간입니다.

종점 – 노선의 끝

인생 1호선, 당신의 삶은 어디로 가고 있습니까?

이 책을 작성을 하기까지 길다면 길고 짧다면 짧은 시간이 들었다. 내가 지금 무슨 생각을 가지고 살고 있고, 어떠한 방향으로 나아가야 하는지 내 생각을 작성했다. 책을 계속 써 내려가며, 남들도 보고 몇 가지라도 배워간다면, 하다못해 하나라도 머릿속에 남기고 간다면 좋지 않을까? 라고 생각했고, 남들도 "무엇인가 배워갈 수 있는 책"을 만들겠다고 마음먹었다.

책을 쓰는 도중에도 썼다가 지웠다가를 반복하며 자신과의 싸움을 하고, 이게 과연 "속에서 진심으로 우러

나온 생각인가"에 대해서 며칠간 고민에 빠지기도 했다.

그렇다, 이 책은 나의 관점에서 나를 되돌아보고, 어떻게 살아야 할지 모르는 누군가에게 필요한 마음가짐을 알려주기 위해 작성한 것이지 누군가를 감동하게 하고 박수받기 위해 쓰려던 글이 아니었다.

"인생 1호선"이 세상에 나오기까지는 나의 노력도 있었겠지만, 항상 옆에서 도와주고 응원해주는 많은 사람이 있었기에 이 글이 세상에 나와 당신이 보고 느낄 수 있게 되었다. 포기하려고 할 때마다 옆에서 잡아주고, 응원해주는 사람들이 없었다면, 이 글은 컴퓨터 어딘가에서 잠들어 있었을 것이다.

이 책을 읽고 아무것도 얻지 못해도 이상한 것이 아니다. 이 책에서 가르치는 여러 가지 내용이 자신과 맞지 않을 수 있고, 아직 이해하지 못한 것일 수 있다. 만약 기회가 된다면, 한번 읽고 덮는 것이 아닌 시간이 지난 후 다시 한번 읽어보면 좋겠다. 그 당시 보지 못했던 글 안에 숨겨져 있는 작가의 마음이 보일 수 있지 않을까?

본문에 수록되어 있듯이, 우리의 인생엔 되돌리기 버튼은 없다. 한번 살아온 인생은 돌아갈 수 없고 앞으로의 남은 인생도 작은 행동 하나로 완전히 뒤바뀔 수 있다. 길면 길고 짧으면 짧은 인생 속에서 내가 무엇을 할 것이며, 어떤 인생을 살고 싶은지 생각하라. "나"라는 존재의 소설책에 무엇을 작성할지 고민하라.

당신의 인생에서 단 한 번뿐인 시간을 "인생 1호선"을 읽는 데에 사용했다면 곧바로 책을 덮고 잊어버리는 것이 아닌 책의 내용을 스스로의 삶에 녹여라. 지금부터 실천하는 작은 변화가 생각하지도 못한 큰 결과로 나타날 것이다.

여러 자기개발서 중에서도 이 책을 손에 붙들고 끝까지 읽어준 당신에게 정말 고개숙여 감사의 인사를 전한다. 또한 이 책이 나오기 까지 많은 도움을 준 여러 사람들에게 이 자리를 빌어 감사의 인사를 전한다.

마지막으로, 앞으로의 미래가 더 빛날 당신을 위해 기도하며 이 책의 마침표를 찍는다.

감사합니다.
고맙습니다.

저자 이강산 올림

삶에서 방황하고 의지의 불이 꺼졌을때
아득히 나타난 누군가가 있었습니다.
책의 마침표를 찍지 못했을 때,
누군가로 인해 책의 끝을 볼 수 있게 되었습니다.
내 삶에 나타나 얼어붙은 마음을 녹이고
회중전등이 되어준 사람.

C 에게 이 책을 바칩니다.

지은이 ▬▬▬▬▬▬▬▬▬▬▬ 이강산

인생이라는 열차에 올라타 유유적적 삶을 즐기는 것,
답답한 인간관계에서 나름의 답을 찾고자 하는
사람이다. 목적지까지 여러 정차지를 거치며 가다
연고따윈 없는 작가라는 기차역에 잠시 들렀다.

식당 이름으로 더 유명한 경상북도 김천에서 태어나
자랐으며, 철도교통 안전관리자, 도로교통 안전관리자
등 여러 자격증을 가지고 철도 기관사라는 종점을
향해 가고 있다.

누군가에게 자랑하고 내세울 명함 한 장 없지만,
여러 취미를 가지고 사람 만나기 좋아하는 사람.
나름 괜찮은 삶에 만족하며 살아가는 중이다.

@writ.sa_

인생 1호선

발 행 | 2024년 03월 12일

저 자 | 이강산

펴낸이 | 한건희

펴낸곳 | 주식회사 부크크

출판사등록 | 2014.07.15.(제2014-16호)

주 소 | 서울특별시 금천구 가산디지털1로 119 SK트윈타워 A동 305호

전 화 | 1670-8316

이메일 | info@bookk.co.kr

ISBN | 979-11-410-7611-5

www.bookk.co.kr

FROM . L

TO . C

인생 1호선

인생에 쓸만한 선로를 놓다

이강산 지음